Tekst en tekeningen

Harmen van Straaten

KLUITMAN

Klavertje Twee-serie

AVI 3	AVI 4
Waar blijven de bizons?	Geef hier die bal!
Fiets in de prak	Schiet hem erin!
Een ridder op blote voeten	Bo en Lars op zwemles
Piraten!	Bo en Lars zwemmen af
Mijn vader kan alles!	Gek op Daan
	Het spookt in de klas
	Nik en Laura (serie)

Boeken met dit vignet zijn op niveaubepaling geregistreerd en gecontroleerd door KPC Groep te 's-Hertogenbosch.

Nur 282, 287/P040206

Omslagontwerp: Winny Koenn

Dit boek is gedrukt op chloorvrij gebleekt papier, dat vervaardigd is van hout uit productiebossen.

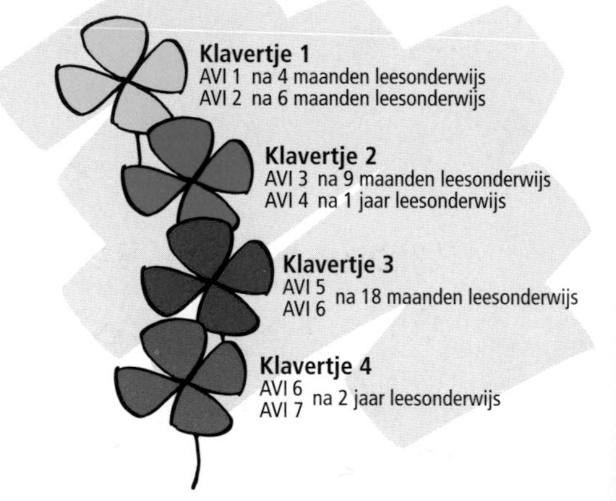

Op zolder

Buiten regent het hard.
Het plenst nu al dagen.
Karin verveelt zich.
Ze zit op zolder.
Karin kijkt door het raam.

Opeens ziet ze Bas.
Karin doet het raam open.
„Kom je spelen?"
Bas knikt.

De moeder van Karin doet open.
„Dag Bas, kom snel binnen."
„Hoi," roept Karin boven aan de trap.
Bas rent de trap op.
„Wat zullen we gaan doen?"
„Op zolder spelen," beslist Karin.
Haar stem wordt zachter.
„Ik heb iets ontdekt.
Kom maar mee."

In een hoek op zolder staat een kist.
„Die is van mijn opa geweest," zegt Karin.
„Mijn opa was vroeger kapitein.
Kapitein op een grote boot."
„Wat zit er in die kist?" vraagt Bas.
„Weet ik niet," zegt Karin.
„Hij zit op slot.
Kun jij hem open krijgen?"
Bas pakt zijn zakmes.
Hij prutst aan het slot.
„Lukt het?" vraagt Karin.
Ze horen een klik.
Het slot gaat open.
Bas tilt het deksel op.

De kist zit vol spullen.
Een verrekijker.
Een pet.
Een zandloper.
Een uniform.
Een fles met een boot erin.
En een ooglapje.

Bas doet het ooglapje voor.
„Zo ben je net een piraat,” vindt Karin.
Ze kijkt weer in de kist.
Karin ziet een zwarte doek.
Ze vouwt de doek open.
Er staat een doodskop op.
Karin houdt de doek omhoog.
„Zie je dat, Bas?”
„Een vlag!” roept Bas.
„Die komt van een schip.
Een schip met piraten.”

„Kijk daar!" zegt Bas.
In de kist ligt ook een boek.
Bas pakt het boek.
„Logboek," leest hij.
Karin legt de vlag neer.
„Wat is een logboek?"
„Een soort dagboek," weet Bas.
„Een logboek is van de kapitein.
Hij schrijft er elke dag in.
Dan weet je wat er is gebeurd."
Bas draait het boek om.
Opeens valt er iets uit.
Het is een brief.
Bas pakt hem van de grond.
„Maak eens open," roept Karin.

De kaart

Bas maakt de brief open.
Er zit een sleutel in.
„Is dat alles?" vraagt Karin.
„Nee," zegt Bas.
„Er is ook nog een kaart."
Samen kijken ze naar de kaart.
Het is een kaart van een eiland.
„Wat staat daar?" wijst Karin.
Bas leest hardop voor:

Bas draait de kaart om.
Hij kijkt naar de achterkant.
Daar staat nog iets.
„Wat een rare woorden,” zucht Bas.
„Ik kan het niet lezen!”
Karin denkt na.
„Een spiegel,” fluistert ze.
„We hebben een spiegel nodig.
De woorden staan andersom.
Met een spiegel kunnen we de rest lezen.
Daarom zit er een spiegel in de kist!”
Bas pakt de spiegel.
Hij steekt hem omhoog.
Dan houdt hij de kaart ervoor.

Nu kunnen ze de rest wel lezen.
In de spiegel staat:

Spiegel, spiegel in mijn hand.

Breng mij naar de andere kant.

Een andere wereld is daar.

Een wereld vol gevaar.

Op een eiland ligt een schat.

Zoek de rots aan het eind van het pad.

Bij die rots, moet je horen.

Doe je een stap naar voren.

Zoek daar de schat vlug.

En ga dan meteen weer terug.

Zoek de spiegel in het schip.

Dan ben je thuis in een wip.

Bas en Karin kijken in de spiegel.
Maar ze zien zichzelf niet meer.
De spiegel is leeg.
Of niet?
Opeens zien ze een schip.
Een schip met piraten.
„Zie jij dat ook?" fluistert Karin.
Bas knikt.
„Ik vind het eng," rilt Karin.
Bas ziet ook een beetje wit.

Opeens wordt het donker.
Ze zien niets meer.
„Bas," gilt Karin.
„Waar ben je?"
„Hier," roept Bas.
„Pak mijn hand maar."
Het wordt weer licht.
De zolder is weg.

De schat

Bas kijkt om zich heen.
Ze staan bij een strand.
Voor hen ligt de zee.
En links ook,
en rechts.
Dit lijkt wel een eiland!
„Het eiland van de kaart!" roept Karin.

Ze wijst om zich heen.
„Kijk maar!
Daar in de zee,
dat zijn die eilandjes.
Net als op de kaart!"
Karin draait zich om.
„Kijk, Bas!
Daar is het pad."
„Wauw!" fluistert Bas.
„Dat pad gaat naar de rots.
En daar moet de schat liggen."
Karin rent over het pad,
tot ze niet meer verder kan.
Dan blijft ze staan.

Karin wacht op Bas.
Voor hen ligt een hoge rots.
Bas juicht.
„Hier ergens is de schat.
Maar waar?"
Bas en Karin kijken omhoog.
Dan kijkt Bas naar de kaart.
Hij denkt na.
Wat stond er ook weer in het rijm?

Bas lacht.
Hij weet het weer.
„Bij die rots, moet je horen.
Doe je een stap naar voren."
Bas kijkt naar Karin.
„Hoe kan dat nou?
Je kunt toch niet in de rots?"
Karin kijkt nog eens goed.
„Kijk, ik zie een gat.
Daar moeten we in."
„Durf jij dat?" vraagt Bas.
„Ik wel," zegt Karin stoer.
Ze kruipt door het gat.
Het is er donker.
Voelt ze daar iets?
Karin trekt.
„Oef, wat zwaar.
Bas, help eens."
„Ik kom eraan," roept Bas.
Samen trekken ze heel hard.
Met een harde plof valt er iets uit het gat.
Het is een grote kist.
„De schatkist!" fluistert Karin.

„De kist zit op slot," zegt Karin.
„In de brief zat toch een sleutel?"
Bas voelt in zijn zak.
Hij haalt de sleutel eruit.
Bas wil de kist open maken.
„Dat wil ik doen!" zegt Karin.

„Nee, dat doen wij!"
Bas en Karin schrikken.
Ze draaien zich om.

Voor hen staan drie piraten.
Ze lachen vals.
Een piraat wijst naar Bas.
„Hier met die sleutel," sist hij.
Bas schudt zijn hoofd.
„Die krijg je niet."
Hij duikt weg.
„Vlug, Karin," roept Bas.
„Rennen!"

Naar het schip

De piraten blijven staan.
Ze weten niet wat ze moeten doen.
Achter Bas en Karin aan gaan?
Of bij de kist blijven?
De kapitein wordt boos.
„Sta niet zo stom te kijken.
Schiet op, pak die kist!
Die nemen we mee."
Karin en Bas rennen maar door.
Tot ze op het strand zijn.
Karin ploft in het zand.
„Wat moeten we nou doen?
Wat stond er in het rijm?"

Even is het stil.
Dan weet Bas het weer.
„Zoek de spiegel in het schip.
Dan ben je thuis in een wip."
Karin gaat weer staan.
„En de schat dan?"
„Laat maar," zegt Bas.
„Ik hoor de piraten.
We moeten opschieten."
Hij wijst.
„Dat is hun schip.
Daar moeten we heen."

Op het strand liggen twee roeiboten.
Karin en Bas rennen er naartoe.
Samen duwen ze een boot in het water.
Bas pakt de roeispanen.
Hij begint te roeien.
„Oef, wat is dat zwaar."
Karin helpt mee.
Langzaam varen ze weg.
De piraten staan nu op het strand.
Ze zwaaien met hun vuisten.
Woedend zijn ze.

Karin wijst angstig.
„Ze komen achter ons aan."
Bas rilt.
Ze roeien zo hard ze kunnen.
Maar de piraten zijn ook heel snel.
Bas en Karin kijken achterom.
Ze komen steeds dichter bij het schip.
Het schip van de piraten.
Opeens wijst Bas.
„Kijk daar," roept hij.
Aan de boot hangt een ladder.
Een ladder van touw.
Vlug klauteren ze omhoog.
De piraten komen steeds dichterbij.
Bas en Karin klimmen op het dek.
Bang kijken ze om.
De piraten zijn al bij het schip.
„En nu?" vraagt Karin.
„Waar zou de spiegel zijn?
We moeten hem vinden!
Dat stond in het rijm.
Anders komen we nooit meer thuis.
Kom vlug mee!"

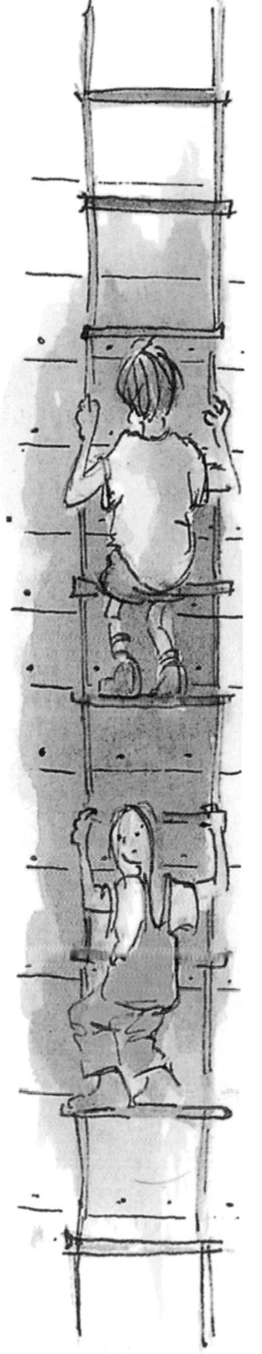

Waar is de spiegel?

Bas en Karin lopen over het dek.
Al gauw zien ze een luik.
Het staat open.
Vlug gaan Karin en Bas door het luik.
Ze lopen een trap af.
Beneden is het erg donker.
Voorzichtig gaan ze verder.
Opeens horen ze gestamp.

Karin en Bas kijken bang omhoog.
„Dat zijn de piraten," rilt Bas.
„Ze staan al op het dek!"

Karin knikt.
Boven schreeuwen de piraten.
„Vlug," fluistert Bas.
„We moeten die spiegel zoeken.
Zie jij hem al?"
„Daar," wijst Karin.
„Daar in de hoek!"
Ze rennen naar de spiegel toe.
Maar het is al te laat.
De piraten stormen naar binnen.

Bas kijkt in de spiegel.
Karin haalt diep adem.
„Spiegel, spiegel aan de wand.
Breng ons naar de andere kant."
De piraten rennen op hen af.
„We hebben jullie!"
Ze steken hun handen uit.
Karin en Bas bibberen van angst.
Dan wordt het opeens donker.
Even later is het weer licht.
Karin en Bas kijken om zich heen.
Ze staan weer op de zolder,
in het huis van Karin.

„Kijk," roept Bas.
Hij pakt de kleine spiegel.
Daar zien ze de piraten.
Die kijken heel verbaasd.
De piraten pakken de kist.
Ze proberen hem open te maken.
„Dat lukt ze nooit," zegt Bas.
„Want ik heb de sleutel nog."
„Moet je kijken," zegt Karin.
„Het lukt ze wel."

Het deksel van de kist gaat open.
De piraten duiken er in.
Bas begint te lachen.
„Zie je dat?
Er zitten stenen in de kist."
De piraten zijn woest.
„Net goed," zegt Karin.

Dan wordt de spiegel weer gewoon.
Bas en Karin zien alleen zichzelf.
„Nou," zegt Karin.
„Ik ga nooit meer naar dat eiland."
„Ik ook niet," rilt Bas.

Ze horen iemand op de trap.
Het is de vader van Karin.
„Wat doen jullie hier?"
„We spelen piraatje," zegt Karin vlug.
„Met de spullen van opa."
Haar vader lacht.
„Maar die schatkaart is niet echt, hoor.
Ik speelde vroeger ook graag piraatje.
Toen heeft opa die schatkaart verzonnen."
Bas geeft Karin een knipoog.
Zij weten wel beter!